Pe. JOSÉ ULYSSES DA SILVA, C.Ss.R.

12
PASSOS PARA UMA BOA
Confissão

Editora
SANTUÁRIO

DIREÇÃO EDITORIAL:
Pe. Fábio Evaristo R. Silva, C.Ss.R.

REVISÃO:
Luana Galvão

COORDENAÇÃO EDITORIAL:
Ana Lúcia de Castro Leite

DIAGRAMAÇÃO E CAPA:
Mauricio Pereira

Dados Internacionais de Catalogação na Publicação (CIP)
(Câmara Brasileira do Livro, SP, Brasil)

Silva, José Ulysses da
   12 passos para uma boa confissão / José Ulysses da Silva. – Aparecida, SP: Editora Santuário, 2016.

   ISBN 978-85-369-0431-3

   1. Confissão 2. Penitência (Sacramento) 3. Sacramentos – Igreja Católica I. Título.

16-02458   CDD-265.62

Índices para catálogo sistemático:
1. Confissão: Sacramento 265.62

4ª impressão

Todos os direitos reservados à **EDITORA SANTUÁRIO** – 2024

Rua Pe. Claro Monteiro, 342 – 12570-045– Aparecida-SP
Tel.: 12 3104-2000 – Televendas: 0800 - 016 00 04
www.editorasantuario.com.br
vendas@editorasantuario.com.br

12 passos para uma boa confissão

A Confissão é um sacramento importante para todo católico que deseja viver como discípulo e missionário de Jesus. É um dos sete Sacramentos da Igreja católica, chamado de Sacramento da Penitência, porque é um sinal eficaz do perdão, que o Pai concede a toda pessoa que, humildemente, se aproxima do sacerdote para se confessar. Contudo, não basta o ato de "contar os pecados" ao padre, de aceitar cumprir uma pequena penitência e de receber a absolvição. São indispensáveis o arrependimento e o propósito de perseverar no caminho da conversão, para se tornar um discípulo sempre mais fiel ao Evangelho de Jesus.

A Confissão está ligada à graça do Batismo, porque ela nos devolve aquela união filial com o Pai. Ela nos leva à experiência da misericórdia divina, como um dom gratuito, que jamais merecemos por nós próprios. Tudo nos é dado pelo Pai em vista da copiosa Redenção realizada por Jesus. A contrapartida exigida por Jesus é a nossa atitude gratuita de misericórdia diante dos outros, especialmente daquelas pessoas que nos ofenderam. Porque fomos perdoados, nós também perdoamos.

A Confissão nos coloca no caminho da reconciliação, que nos leva a corrigir as atitudes e atos negativos em relação aos outros e nos reintegra na participação da Comunidade eucarística.

É ainda um sacramento que fortalece nossas convicções e nossas atitudes diante do mistério do mal presente na sociedade, que se manifesta nas injustiças sociais, na violência, na corrupção, na ganância de poder e de riqueza e nos vícios que nos escravizam às bebidas, às drogas, ao erotismo etc.

O autêntico arrependimento não deve brotar do medo, mas da dor de ter falhado no amor para com Deus e para com o próximo. E a autêntica conversão será sempre aquela que nos reconduz ao compromisso com o mandamento do amor, que se concretiza primeiramente no amor dentro da família e da comunidade e na solidariedade diante das pessoas que sofrem na pobreza ou na dor.

Finalmente, a Confissão é um sacramento da Igreja como Comunidade de Jesus, que intercede para que sejamos perdoados e nos acolhe fraternalmente para a participação na Eucaristia.

Vale a pena buscar a intercessão de Maria Santíssima, para que coloque em nosso coração uma confiança absoluta no poder misericordioso de seu Filho, ajude-nos a superar a vergonha de contar nossos pecados e fragilidades e, após a Confissão, reze conosco seu Magnificat de ação de graças.

Medite frequentemente estes doze passos para uma boa Confissão e faça do sacramento da Penitência uma fonte de energia espiritual, que fará você superar as falhas do passado e olhar para frente, na certeza de que poderá tornar-se sempre melhor e mais santo.

Dicas para celebrar sua confissão

• Coloque-se em oração diante de Deus e peça ao Espírito Santo a graça de fazer uma boa Confissão.

• Examine sua consciência e note, em seus atos, pensamentos e omissões, suas falhas em relação a Deus, a sua família, a sua Igreja, a seu trabalho e a sua vida social. Reconheça sua responsabilidade pessoal, sem acusar outras pessoas. Se possível, leia algum texto da Palavra de Deus para iluminar seu exame de consciência.

• Reze, se possível, de forma espontânea, seu Ato de Contrição, declarando ao Senhor seu arrependimento e suplicando-lhe o perdão.

• Aproxime-se do Confessor e informe-o sobre o tempo transcorrido desde sua última confissão. Pode informá-lo também sobre seu estado de vida, sua profissão e tudo aquilo que poderá ajudar o Confessor a compreender sua situação.

• Evite apresentar listas escritas de pecado. Conte aquilo que mais pesa em sua consciência, tanto aquilo em que falhou em seus atos e pensamentos como aquilo em que foi omisso.

• Peça-lhe algum conselho ou esclarecimento, se julgar necessário. Em seguida, aceite a penitência que ele lhe pedir.

• Finalmente, incline-se diante do Confessor para que ele lhe imponha as mãos e recite a prece de absolvição. É esse gesto que lhe dá a segurança do perdão divino por meio do ministério da Igreja.

• Ao sair, faça sua oração de ação de graças e refaça sua alegria de ser cristão e de ser tão amado por Jesus, seu Redentor.

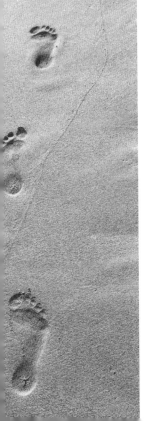

1º PASSO
A penitência, saudade do batismo

O Sacramento da Penitência nasceu como saudade do Batismo. De fato, nos primeiros séculos, o grande sacramento da conversão e do perdão era o Batismo. As pessoas, em geral adultas, que se convertiam e aceitavam Jesus como Salvador, pediam para serem batizadas (At 2,38.41). O Batismo significava uma mudança profunda no modo de pensar e de agir da pessoa. O Batismo era celebrado com a Crisma e a Eucaristia, porque ao mesmo tempo em que perdoava todos os pecados passados, ungia a pessoa com o dom do Espírito Santo e a acolhia como membro da comunidade eucarística, ou seja, da Igreja. O Batismo era feito por imersão completa na água, simbolizando que o convertido era mergulhado na morte de Jesus para ressuscitar com Ele para uma vida nova (Rm 6,3-7).

Contudo, as primeiras comunidades passaram por perseguições violentas e muitos cristãos foram torturados e martirizados. Nem todos tiveram força para superar o medo e renegaram a fé cristã para salvar a própria vida. Muitos deles, passado o período de perseguição, arrependiam-se e suplicavam para serem readmitidos na comunidade cristã. Já naquele tempo havia cristãos intolerantes que eram contra o perdão a qualquer tipo de pecado após o Batismo e contra a readmissão dessas pessoas, a tal ponto de criarem cismas na Igreja. Graças a Deus, nossos pastores, a começar dos papas, abriram as portas da Igreja para aqueles que estavam realmente arrependidos. Davam-lhes um tempo de penitência, durante o qual toda a comunidade intercedia por eles, depois os absolviam e os reintroduziam na participação da Eucaristia, como sacramento de reintegração na comunidade cristã. Foi assim que nasceu o Sacramento da Penitência, como uma renovação do sacramento do Batismo.

Essa saudade do Batismo continua sendo o ponto essencial da Penitência. Aquela graça de filiação divina, que recebemos quando foi derramada a água batismal sobre nossas cabeças, aquele dom do Espírito Santo, que nos foi dado com a imposição das mãos do bispo na Crisma, e aquela Primeira Eucaristia, para a qual nos preparamos com tanto carinho e que marcou nosso encontro sacramental com Jesus e nossa plena integração em sua Igreja, continuam sendo os pontos de referência necessários para celebrarmos bem o sacramento da Penitência.

2º PASSO
Penitência, uma conversão à misericórdia

O Sacramento da Penitência se enraíza nesta certeza da nossa fé cristã: Jesus é o enviado do Pai, que, por sua vida, morte e ressurreição, realizou a reconciliação entre o céu e a terra, entre o divino e o humano. Ele nos libertou das algemas do mal e da morte. Já não somos mais escravos do pecado. Com Jesus, podemos vencê-lo, superá-lo e percorrer a estrada da santificação.

Quando Jesus nos convida à conversão, não se trata apenas de mudar nossos maus atos e costumes. Ele insiste que mudemos a direção de nossa fé e de nossa mentalidade religiosa e que

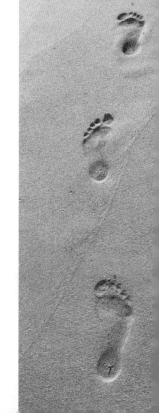

abandonemos de vez a imagem de um Deus onipotente, que está sempre pronto para julgar e para castigar as falhas humanas. Jesus deseja ser acolhido por nós como a prova maior de que Deus é um Pai de infinita misericórdia, que está sempre de braços abertos para acolher, resgatar o ser humano e perdoar-lhe, para que tenha vida em abundância (Lc 15,20; Jo 10,10). Eis a novidade absoluta do cristianismo, cujo núcleo é sempre uma Boa Notícia, isto é, o Evangelho do perdão, da paz e da convivência fraterna em comunidade. A marca distintiva do Deus de Jesus é a compaixão e a misericórdia.

Toda a missão de Jesus foi uma constante oferta de perdão, de cura integral, de reconciliação e de uma nova fraternidade entre as pessoas. Jesus jamais colocou limites em sua misericórdia diante de alguém frágil e necessitado, que suplicava sua ajuda. Suas palavras e seus gestos, tanto para a mulher que estava para ser apedrejada como para o criminoso pregado na cruz a seu lado, foram de acolhimento e de perdão generoso. A Pedro, que o negara num momento crucial, exige como penitência apenas que renove seu amor por Ele. Bastou isso para reconstituí-lo como pastor supremo de sua Igreja (Jo 21,17).

Eis a missão que Jesus confia a seus apóstolos e discípulos: serem mensageiros e instrumentos de perdão em seu nome (Jo 21,22-23). O Batismo torna-se o primeiro sacramento da conversão e do perdão, pelo qual as pessoas se decidem a seguir Jesus como seus discípulos. Quando, porém, ao longo da vida, desviam-se desse caminho, Deus continua oferecendo a chance de retomá-lo por meio do **Sacramento da Penitência**. É um sacramento cuja finalidade é refazer em nós a graça batismal, reintegrando-nos como membros vivos da Comunidade, para continuarmos caminhando sobre os passos de Jesus.

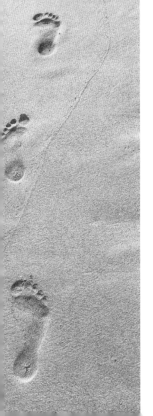

3º PASSO
Perdoar, porque fomos perdoados

Todos os ritos do sacramento da Penitência são eficazes, quando correspondem à coerência de nossas atitudes. E uma das atitudes fundamentais é a do perdão àqueles que nos ofenderam. Jesus nos ensina que a garantia do perdão divino a nossos erros e pecados não depende tanto do arrependimento que manifestamos ou das lágrimas que derramamos ou das penitências que fazemos. Depende principalmente de nossa atitude de misericórdia diante daqueles que cometeram erros contra nós e nos ofenderam.

O perdão, que recebemos gratuitamente de Deus, exige que ofereçamos também um perdão gratuito a quem nos ofendeu. Esse compromisso de misericórdia cria uma relação de causa e efeito entre o ato divino e o nosso ato: fomos perdoados e perdoamos, ou, não perdoamos e não ficamos perdoados: "Perdoai e vos será perdoado" (Lc 6,38). Essa ligação é tão séria, que Jesus nos faz pedir constantemente: "Perdoai as nossas ofensas, assim como nós perdoamos a quem nos tem ofendido". Assim, o maior risco que corremos de permanecer em nossos pecados é a intolerância diante das fragilidades e dos erros alheios, como nos relata a parábola do servidor que foi perdoado de sua grande dívida com o rei, mas não foi capaz de perdoar a quem lhe devia muito pouco (Mt 18,23-35).

Como podemos medir nosso grau de misericórdia? Normalmente, somos convidados a examinar nossa consciência por meio dos Dez Mandamentos. Contudo, a proposta cristã é mais exigente. Ela nos coloca diante da pessoa, das ações e das palavras de Jesus, como um espelho que nos permite avaliar até que ponto estamos sendo discípulos dele. Por isso, para saber se estamos ou não sendo misericordiosos é fundamental abrir os Evangelhos e comparar nossas atitudes com o Sermão da Montanha, principalmente as Bem-aventuranças (Mt 5,3-12). As parábolas da ovelha perdida, da moeda encontrada e do filho pródigo (Lc 15,4-32) revelam a misericórdia divina para conosco e a medida da nossa misericórdia com os outros: "Sede misericordiosos como o vosso Pai é misericordioso" (Lc 6,36).

Finalmente, Jesus é tão bom que em Mt 25,31-46 avisa-nos como seremos julgados após a morte. Ele nos colocará à sua direita ou à sua esquerda, conforme as obras de misericórdia que praticamos durante a vida nesta terra (Mt 25,31-46): "Em verdade eu vos digo: cada vez que fizestes isso a um dos meus irmãos mais pequeninos, foi a Mim que o fizestes".

4º PASSO
Penitência, caminho de reconciliação

O sacramento da Penitência nutre-se do mistério da reconciliação realizado pela misericórdia do Pai por intermédio de seu Filho. O Verbo eterno, por sua Encarnação e Redenção, reconciliou em si todos os seres (Cl 1,20). Por isso, a intenção de reconciliar-se é essencial para que a absolvição sacramental atinja seu objetivo. O sacramento da Penitência não só nos perdoa como também nos comunica a graça da reconciliação, como uma força do Espírito Santo capaz de gerar paz no coração e refazer a harmonia entre as pessoas. Eis por que esse sacramento nos conduz diretamente à comunhão eucarística, no sentido amplo de comum-união, como uma retomada da união com Jesus

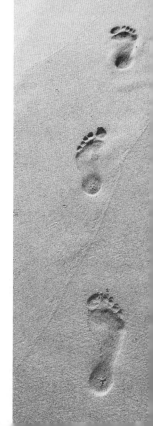

e com sua Palavra, da participação ativa na comunidade e da união e solidariedade com todas as pessoas com quem convivemos.

Para buscar a reconciliação é preciso armar-se primeiramente de muita humildade. De fato, ela exige de nós desde o simples pedido de desculpas e até a súplica do perdão, não apenas a Deus, mas também às pessoas com as quais estamos em conflito. Essa reconciliação deve brotar de uma atitude de misericórdia. Por isso, o pedido de desculpas ou de perdão não pode depender da questão de quem está ou não com a razão. Não é um ato da justiça humana, condicionado pelas leis positivas, mas da justiça divina, que sempre usa de misericórdia para com os seres humanos. À gratuidade do perdão de Deus deve corresponder sempre a gratuidade do perdão fraterno.

O melhor modo de retomar a vivência cristã é buscar a paz, tomando a iniciativa da reconciliação. Reconciliar-se com Jesus e com sua Igreja, reconciliar-se consigo mesmo, reconciliar-se com quem nos ofendeu ou nos feriu consciente ou inconscientemente e reconciliar-se com o mundo ao nosso redor. Todas essas dimensões da reconciliação alargam o horizonte de nossa existência e nos tornam leves para reiniciarmos nossa caminhada, porque nos liberam de todas as dívidas de amor. Com toda certeza, quando participamos do sacramento da Penitência com essa fé e essa atitude, o Espírito Santo derrama sobre nós o dom da reconciliação, que nos refaz a paz do coração, renova nossa esperança para seguir em frente, enche-nos de alegria para enfrentar a vida e recupera nossa confiança nas pessoas que nos cercam.

5º PASSO
Penitência é arrependimento

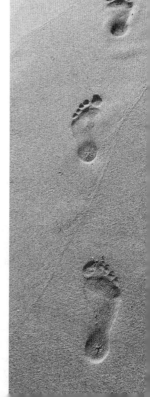

Celebrar o sacramento da Penitência é bem mais que contar os pecados ao padre. Não se trata de fazer mais uma confissão para zerar as contas com Deus. A confissão só tem valor quando brota de uma atitude de arrependimento pessoal, quando assumimos conscientemente que fomos responsáveis pelo mal ou erro que cometemos, ou também pela omissão de um bem que deveríamos ter feito. A palavra confissão significa reconhecer abertamente essa responsabilidade pessoal por nossos atos, sem buscar desculpas ou fazer defesas e, muito menos, sem terceirizar a culpa. Tanto aqueles pecados que cometemos deliberadamente, como aqueles que acontecem a partir de nossas fragilidades psicológicas e espirituais devem fazer com que nos apresentemos diante do Senhor com a disposição de reconhecer ou confessar nossas culpas e de suplicar-lhe a graça para superar tais situações ou ao menos para não desanimar jamais com nossas próprias fraquezas.

Por isso, não tem sentido algum ir ao confessionário para contar os pecados de outros membros da família e de outras pessoas, como se fôssemos apenas vítimas ou, pior ainda, juízes dos atos alheios. Mesmo que a situação de pecado envolva outras pessoas, como os casos de conflitos familiares e sociais, o que importa em nossa confissão é nossa parte de responsabilidade pessoal, ou seja, nossa parte de culpa e nosso arrependimento.

Mais do que recitar de cor o Ato de contrição, é preciso trazer no coração um profundo arrependimento, sem o qual não tem sentido aproximar-se do sacramento da Penitência. E para saber se o arrependimento está sendo de fato autêntico, devemos examinar como pretendemos agir após a confissão. Há católicos que pensam apenas na permissão de se aproximar novamente da comunhão eucarística. Contudo, o que mais importa como efeito do arrependimento é a decisão de mudar as atitudes erradas, de reparar o mal cometido e de reencontrar as pessoas que ofendemos ou que nos ofenderam, reassumindo para valer o mandamento do amor de Jesus. É preciso que nossa fé nos faça ver que as palavras e os ritos de perdão da Igreja, que tornam visíveis para nós os gestos do próprio Jesus, só realizam o que significam quando encontram um coração cheio de fé e de honestidade moral diante de Deus.

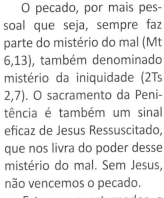

6º PASSO
Penitência:
"livrai-nos do mal"

O pecado, por mais pessoal que seja, sempre faz parte do mistério do mal (Mt 6,13), também denominado mistério da iniquidade (2Ts 2,7). O sacramento da Penitência é também um sinal eficaz de Jesus Ressuscitado, que nos livra do poder desse mistério do mal. Sem Jesus, não vencemos o pecado.

Estamos acostumados a ver esse mistério do mal personalizado na figura do demônio. Mas temos dificuldade em perceber esse mesmo mistério do mal atuando por meio de pessoas e de grupos humanos normais ou por meio de estruturas políticas, culturais e econômicas, com as quais convivemos e até apoiamos. No entanto, tudo o que é dominado pelas três tentações vencidas por Jesus, a saber, a ganância pelo dinheiro, a ganância pelo poder e a ganância pelo prazer, faz parte do mistério da iniquidade, porque fecha o ser humano em seu orgulho e o torna inescrupuloso e cego diante da realidade do outro, da realidade de Deus e da realidade de si próprio. É esse mistério que causa a corrupção da família e das leis da sociedade, da política e da economia, dos meios de comunicação e da própria religião. Por isso, vivemos num mundo de famílias desfeitas por qualquer capricho, de injustiças sociais escandalosas, de violências e guerras que ceifam milhões de vidas.

Para vencer o mistério do mal e da morte, Deus nos deu os Dez Mandamentos, cuja finalidade é defender e promover a vida e o amor verdadeiro. Desde o Batismo, nós nos tornamos membros do Corpo místico de Cristo, para não sermos mais escravos do mal. E se nosso espírito humano é frágil, basta invocar o Espírito divino, que vem sempre em nosso socorro, para nos perdoar e fortalecer.

Temos de estar conscientes de que, cada vez que desobedecemos a um desses mandamentos, não apenas cometemos um pecado pessoal, mas estamos também alimentando o mistério da iniquidade e nossa falha provoca uma repercussão negativa nas relações familiares, na vida social e na Igreja. Não adianta reclamar contra o mal no mundo, se nós próprios o alimentamos todos os dias com nossas ideias e nossas atitudes.

Como diz nosso Papa Francisco, o cristão não pode tornar-se mundano, deixando-se conduzir pelas tentações do prazer egoísta, da ganância e da violência em seu modo de pensar e de agir, porque mesmo que não seja instrumento do mal, estará colaborando com sua presença negativa no mundo.

7º PASSO
Penitência, uma celebração eclesial

O Santuário de Aparecida esconde em seu subsolo a riqueza mais bela do que todo o esplendor que se contempla dentro da Basílica e em suas celebrações. Trata-se da Capela da Penitência, onde milhares de pessoas, diariamente, buscam o perdão, reencontram a paz de espírito e a esperança de seguirem em frente como cristãos.

Na verdade, muitos dos peregrinos que passam por essa Capela e se aproximam do sacerdote confessor necessitam não apenas do perdão, mas de um aconselhamento espiritual, que lhes devolva a esperança. Trazem suas histórias de provações, de decepções, de fraquezas e, às vezes, de situações dolorosas de pe-

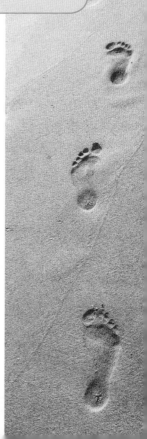

cado. Muitas delas sentem-se aliviadas somente por serem escutadas com atenção e compreensão. Mais do que penitentes, essas pessoas estão sedentas de uma palavra que lhes devolva a confiança em si e a coragem de continuarem sua missão.

De fato, a confissão individual originou-se apenas a partir do século VII, como desenvolvimento da prática de aconselhamento espiritual praticado pelos monges da Irlanda. Com o tempo, impôs-se como forma quase única de penitência sacramental para a Igreja católica do ocidente. Foi assim que o sacramento da Penitência deixou de ser um ato público, celebrado por toda a comunidade, e passou a ser um ato privado entre o pecador e o sacerdote.

Contudo, o Rito atual, renovado pelo Concílio Vaticano II, volta a ressaltar e a propor o sentido de celebração eclesial do sacramento da Penitência. Mesmo quando alguém chega sozinho para se confessar, deveria, com o sacerdote ou antes de se aproximar dele, colocar-se em oração, meditar algum texto próprio da Palavra de Deus e fazer algumas orações penitenciais que expressem sua contrição. Só então o sacerdote lhe imporia as mãos sobre a cabeça e recitaria a fórmula de absolvição. Certamente, o modo melhor de celebrar é aquele que se realiza na Capela da Penitência da Basílica, em que o acolhimento dos penitentes, a celebração da Palavra, a meditação e as orações penitenciais são celebradas comunitariamente. Em seguida, oferece-se a oportunidade do encontro pessoal com o sacerdote, para partilhar a vida, principalmente os pecados e os sofrimentos, ser aconselhado e receber individualmente a absolvição sacramental.

Mas, é bom lembrar que, quando o número de penitentes é grande e não há confessores suficientes, a absolvição geral é igualmente sacramental e plenamente válida.

8º PASSO
Confessar-se olhando para frente

As confissões mais bonitas são as daquelas pessoas que se aproximam declarando de imediato: "Padre, eu quero mudar de vida, quero retomar minha vida cristã para valer". Mas há pessoas que vêm confessar pecados passados já perdoados, culpando-se sempre de novo ou remoendo mágoas. Para Jesus o mais importante é como pretendemos viver nossa fé e nosso agir cristão a partir da confissão. Reveja a cena do encontro do apóstolo Pedro com Jesus ressuscitado. Certamente, Pedro esperava que Jesus lhe jogasse na cara o fato de tê-lo negado. No entanto, Jesus com uma delicadeza extrema não faz referência alguma ao pecado de Pedro. Apenas lhe pergunta: "Pedro, tu me amas?" As respostas afirmativas de Pedro são mais do que suficientes para cobrir qualquer pecado e para que Jesus o confirme como Pastor de sua Igreja. Eis as lições dessa página do Evangelho para as nossas confissões:

– Ao se confessar, não desenterre os pecados do passado, que já foram perdoados. É preciso confiar no perdão generoso e total de Jesus, que não olha para trás para cobrar nossas fragilidades e erros passados.

– Confesse os pecados de que se lembra. Não é preciso fazer um esforço de memória para descobrir pecados de que não se recorda. Jesus prefere sua atitude de arrependimento à sua memória detalhada de tudo o que cometeu. Não precisa usar listinhas de pecados. Tenha confiança no olhar de Jesus, que conhece seu coração e sua consciência mais do que você mesmo. Confie que a misericórdia divina cobre todos os seus pecados, também os esquecidos.

– A contrapartida do perdão que Jesus lhe dá é o perdão que você oferece gratuitamente a quem ofendeu você. Essa é uma condição inegociável. Se você não quer perdoar, também não será perdoado. E o perdão deve ser dado sem condições e total. De que adianta superar traições familiares, discórdias, vícios etc. se, por palavras ou atitudes, continua-se lembrando e cobrando tudo o que já aconteceu e já foi perdoado? Ao receber o perdão de Deus, é preciso também perdoar-se a si próprio e perdoar de coração o pecado do outro.

– Finalmente, diga a Jesus como você pretende continuar sua vida cristã após a confissão. Não é preciso fazer um voto de impecabilidade, o que seria uma grande presunção. Mas é importante comprometer-se com aqueles meios que irão ajudá-lo a reagir diante das próprias fragilidades e a seguir alimentando sua vida espiritual.

9º PASSO
A Confissão, momento de humildade

A Confissão é um grande ato de humildade. Ela exige que não tenhamos vergonha de abrir nossa consciência diante do ministro de Deus em relação a nossos atos, pensamentos e palavras. A própria palavra Confissão significa reconhecer e declarar a responsabilidade pessoal pelos próprios pecados. É essa atitude de humildade que escancara a misericórdia divina em nosso favor, não importa quão grave seja nosso pecado.

Geralmente, nossos pecados envolvem outras pessoas, a começar pelos membros da própria família e de nosso círculo social. São elas

com quem nós pecamos ou que nos provocam ao pecado ou contra quem nós pecamos. Contudo, não tem sentido terceirizar nossa culpa pessoal, descarregando sobre essas pessoas qualquer tipo de responsabilidade. Na Confissão, o que importa é assumir nossa parte de responsabilidade pelo pecado cometido, sem culpar nenhuma outra pessoa. Nem deveríamos apresentar desculpas e explicações por esses atos. Afinal, a Confissão não é um tribunal, mas um encontro entre a humildade de quem pecou e a misericórdia gratuita do Senhor.

Quando nos confessamos com um ministro que não conhecemos nem dele somos conhecidos, é aconselhável contextualizá-lo, dando-lhe umas poucas informações sobre nosso estado de vida, nossa prática da fé e da participação na comunidade e até sobre nossa profissão. Isso irá ajudá-lo a dar-nos conselhos adequados.

Vale a pena fazer uma confissão individual quando não cometemos nada de mais grave? Mesmo que não seja necessária, a confissão individual é válida também como ocasião de aconselhamento para o crescimento espiritual, como meio de discernimento para as decisões da vida e como estímulo para superarmos fragilidades que sempre se repetem. Aliás, a confissão individual originou-se exatamente do ministério dos monges, que acolhiam as pessoas para aconselhá-las espiritualmente. Nós somos muito frágeis espiritual e moralmente. Repetimos sempre os mesmos defeitos e jamais somos perfeitos na caridade. Facilmente nos acomodamos com nossos modos negativos de ser e de agir diante das pessoas, principalmente daquelas mais próximas. O sacramento da Penitência nos oferece não somente o perdão, mas também a graça do Espírito Santo, que nos dá a energia divina para reagirmos e nos tornarmos melhores.

10º PASSO
A Contrição,
a dor por falhar no amor

A contrição é o oposto da exaltação. É uma palavra cuja etimologia significa sentir-se moído por dentro, com um aperto na alma por alguma coisa que nos incomoda fortemente. Essa dor é sincera quando brota da consciência de termos falhado na prática do mandamento do amor, como resposta ao infinito amor, tanto de Deus Pai, que tanto nos amou a ponto de nos dar seu próprio Filho, como de Jesus, que também tanto nos amou a ponto de entregar-se à morte na cruz, para nos dar o perdão e nos fazer participar de sua ressurreição.

Por outro lado, sabemos que um erro só é pecado quando o fazemos com plena consciência da gravidade de nosso ato e com plena liberdade para decidir fazê-lo ou não. Por isso, nem sempre o sentimento de culpa significa que houve pecado. Quando a sensação de culpa provém de atos que não desejávamos nem tínhamos o controle sobre eles, não cometemos pecado algum. Podemos até pedir algum conselho ao confessor, porém não há necessidade de confessá-los.

A contrição é necessária para aqueles pecados que cometemos livre e conscientemente. Sem buscar desculpas e explicações, a contrição nos faz reconhecer humildemente nossa própria fragilidade e nos colocar diante de Jesus com um sincero arrependimento. A dor pelo pecado cometido, detestando tê-lo feito, com a intenção de não mais pecar, é fundamental para se fazer uma boa confissão, porque leva a uma decisão sincera de tornar-se melhor. E a contrição perfeita é aquela que brota da consciência de haver falhado gravemente no amor a Deus e ao próximo, e não tanto pelo medo de algum castigo.

É essa contrição do coração que faz a confissão ser autêntica, mesmo que não saibamos recitar de cor o ato de contrição. É até melhor que brote de nossos lábios uma súplica espontânea de perdão diante de Jesus, lembrando-nos de seu amor por nós e do mandamento do amor que Ele tanto nos recomendou. Devemos dizer-lhe então que estamos arrependidos daquilo que fizemos ou deixamos de fazer, que precisamos de seu perdão, que estamos dispostos a reparar o dano causado e que Ele derrame sobre nós seu Espírito para superarmos nossas fraquezas e para termos forças de perdoar a quem nos tenha ofendido.

11º PASSO
A Satisfação, um compromisso de amor

A palavra Satisfação, no Sacramento da Penitência, não tem o sentido comum de estar contente. É verdade que a Confissão sempre provoca alívio e alegria. Mas aqui ela significa reparação dos danos causados por nossos pecados. A Satisfação vem como consequência para quem se arrepende de verdade e quer corrigir a direção da própria vida no sentido do amor e da caridade.

Em geral, a Satisfação é chamada de "penitência", que é aquilo que o sacerdote solicita do penitente no final da confissão. Quase sempre se limita a alguma oração ou algum gesto de caridade, relativamente fácil de ser cumprido. Essa pequena penitência só é possível porque a grande Satisfação por nossos pecados já foi oferecida por Jesus, pelo sangue que derramou por todos nós. *"Fostes comprados por um alto preço. Glorificai, pois, a Deus no vosso corpo"* (1Cor 6,20).

Contudo, a atitude de Satisfação deve ir além dessa pequena "penitência". Ela deve levar-nos ao compromisso de fazer tudo o que for necessário para renovar o amor para com Deus e a caridade para com o próximo, até porque é a caridade que cobre uma multidão de pecados, como nos diz São Pedro (1Pd 4,8).

A Satisfação penitencial nos compromete seriamente a reparar os prejuízos materiais ou morais que nossos pecados causaram na vida do próximo, mesmo quando o próximo nem sequer ficou sabendo do mal que lhe causamos. Quando nosso pecado negou ou tirou algum bem material a que o outro tinha direito, quando causou uma injustiça e, principalmente, lesou o bom nome de alguém, a confissão somente se completa quando procuramos reparar esses danos. A Satisfação começa com o pedido de desculpas ou perdão às pessoas que ofendemos e prejudicamos. E se completa com o perdão que oferecemos quando fomos nós os ofendidos. Um perdão tão gratuito como foi o perdão que de Deus recebemos, tanto àquelas pessoas que nos pedem perdão como àquelas que não pedem.

Essa Satisfação inclui ainda um propósito firme de retomar a prática cristã, como uma renovação da vida espiritual, que se alimenta constantemente da oração, da Palavra de Deus e principalmente da santa Eucaristia, celebrada em comunidade. Mas inclui também um esforço de coerência moral segundo os valores evangélicos, nas atitudes pessoais e familiares, profissionais e sociais.

"Àquele que nos ama e nos salvou de nossos pecados pelo preço de seu sangue e nos fez um reino de sacerdotes de Deus, seu Pai, a ele glória e poder pelos séculos dos séculos! Amém!" (Ap 1,5).

12º PASSO
O Gesto sacramental do perdão

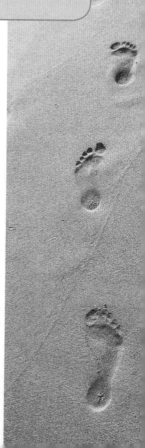

O Sacramento da Penitência para muita gente se reduz ao ato de contar os pecados ao padre. E isso provoca tamanha tensão, que não raro, após ter conseguido elencar suas falhas, a pessoa já pensa que está livre e pode se retirar. No entanto, o momento sacramental mais importante é o sinal da Absolvição ou Perdão, que acontece quando o sacerdote impõe suas mãos sobre a cabeça do penitente e declara explicitamente: "Eu te absolvo dos teus pecados em nome do Pai e do Filho e do Espírito Santo". É por esse sinal da Igreja que temos a segurança do perdão de Deus e se renova em nosso espírito a graça do santo Batismo. Deus nunca deixou de nos amar, mesmo quando estávamos no pecado. Somos nós, porém, que não estávamos correspondendo com amor a tão grande amor.

A absolvição nos devolve a capacidade de dar essa resposta de amor a Deus e de amor ao nosso próximo. Esse sinal nos faz voltar à plena comunhão com a Igreja, que se expressa na participação da Eucaristia, quando Jesus faz festa com sua comunidade por ter encontrado a ovelha perdida. É como se estivéssemos recebendo o abraço e o beijo do Pai misericordioso dados no filho arrependido (Lc 15,5-7.20.32).

Há gente que pensa que é preciso confessar-se antes de cada comunhão. E há outros que acham que podem comungar, não importa a situação espiritual em que se encontrem. De fato, podemos comungar sempre que participamos da celebração eucarística, sem repetir continuamente a confissão, desde que não estejamos afastados da vida de Igreja e a consciência não nos acuse de algum ato ou omissão mais graves.

A celebração comunitária da Penitência nos purifica de nossas falhas corriqueiras de caridade, como reações nervosas e outras fragilidades. Contudo, quando deixamos de participar da comunidade e de levar uma vida sacramental em comunidade, é importante recorrer à confissão individual, para purificar o coração e reorientar a própria vivência cristã.

Enfim, após uma boa confissão, se Deus faz festa, também nós devemos festejar. Vale a pena dedicar alguns minutos de ação de graças pelo dom gratuito do perdão recebido. Depois disso, podemos dar um abraço de alegria e de paz em nossos familiares e naqueles que estiverem celebrando conosco.

Roteiro para celebrar a confissão

1. Coloque-se na presença do Deus de misericórdia. Deixe que Ele olhe bem dentro de você e o ajude a avaliar sua vida. Reze assim:

Em nome do Pai, do Filho e do Espírito Santo. Amém

Senhor, ajudai-me a olhar sem medo para a minha consciência.

Dai-me sinceridade para assumir as minhas fraquezas, os meus erros e as minhas omissões. Que o vosso Espírito Santo me faça reconhecer toda a minha falta de amor e todos os meus atos de egoísmo. Mostrai-me claramente em que estou falhando no amor para com

Deus, para com as pessoas de minha família, para com as pessoas que me cercam e para comigo mesmo. E dai-me humildade para me arrepender, para pedir perdão com sinceridade e para decidir-me a ser melhor. Maria Santíssima, rogai por mim ao vosso divino Filho. Amém.

2. Escolha e medite por alguns instantes algum destes textos da Palavra de Deus:

Lc 15,11-32: **o Pai misericordioso**

"Um homem tinha dois filhos. O mais jovem disse ao Pai: 'Pai, dá-me a parte da herança que me toca'. E depois partiu... dissipou seus bens numa vida dissoluta... e começou a passar fome... caindo em si, pensou: 'Vou me levantar e voltar para meu Pai e lhe direi: Pai, pequei contra o céu e contra ti'. O Pai avistou-o quando ainda estava longe e teve compaixão dele. Correndo-lhe ao encontro, abraçou-o e beijou-o... e ordenou aos empregados: 'Tragam depressa a roupa mais bonita e a coloquem nele... porque este meu filho estava morto e voltou a viver'."

Seja humilde diante de Deus, volte para Ele e Ele o abraçará e fará uma festa para você.

Lc 19,1-10: **a conversão de Zaqueu**

"Zaqueu queria ver Jesus... Jesus, levantando os olhos, disse-lhe: 'Zaqueu, desce depressa, porque hoje quero ir a tua casa'. Zaqueu o acolheu com alegria e, de pé, diante do Senhor, disse-lhe: 'Senhor, vou dar aos pobres a metade de meus bens. E, se prejudiquei alguém, vou devolver-lhe quatro vezes mais'. Jesus disse então: 'Hoje, a salvação entrou nesta casa...'"

Deixe que a salvação entre em seu coração hoje.

Lc 23,39-43: o bom ladrão

"Um dos malfeitores, que estava na cruz ao lado de Jesus, insultava-o... O outro, porém, disse: 'Nem sequer temes a Deus, tu que sofres a mesma pena? Para nós, é justo sofrermos, pois estamos recebendo o que merecemos por nossos atos; mas Ele, não fez nada de mal'. E ele dizia: 'Jesus, lembra-te de mim, quando estiveres no teu reino'. E Jesus lhe disse: 'Ainda hoje estarás comigo no paraíso'."

Reconheça sua culpa, peça perdão e encontrará o caminho do paraíso.

3. Examine sua Consciência. Com humildade, assuma sua culpa por aquilo que você fez de errado e por aquilo que deixou de fazer de bem:

1º Mandamento: Creio, confio em Deus e o amo acima de tudo e de todos? Deus ocupa o primeiro lugar em minha vida, em minhas decisões familiares, profissionais etc.? Sua Palavra, seu Evangelho têm valor de decisão sobre a ética de meus atos?

2º Mandamento: Qual é o lugar da oração como diálogo com Deus ao longo de meu dia? Culpo Deus ou blasfemo contra Ele, quando meus interesses são contrariados? Tenho usado seu nome para ameaçar ou dominar alguém?

3º Mandamento: Participo de minha Comunidade, principalmente de suas celebrações? Frequento a Missa e recebo a santa Comunhão?

4º Mandamento: Tenho mantido presença e diálogo dentro de minha família? Tenho cuidado com carinho dos idosos e doentes, principalmente de meus pais e parentes?

5º Mandamento: Respeito a vida humana desde sua concepção? Já pratiquei aborto ou favoreci sua prática? Sou agressivo? Alimento ódio por alguém? Tenho me deixado levar pelo instinto de dominação dos outros? Procuro reconciliar-me, pedindo e dando perdão das ofensas?

6º Mandamento: Tenho vivido minha sexualidade com responsabilidade e com carinho? Deixo-me levar pelo erotismo? Uso do sexo para dominar e abusar do outro?

7º Mandamento: Sou honesto e justo em meu trabalho? Apropriei-me de algo que pertence a outro?

Respeito tudo o que pertence ao bem comum do povo? Pago os impostos justos? Tenho explorado o trabalho de outras pessoas? Devolvi o que tirei indevidamente?

8º *Mandamento*: Falo e espalho facilmente os erros e as fraquezas dos outros? Difamei gravemente alguém, causando-lhe prejuízo social? Tenho enganado ou acusado pessoas com mentiras?

9º *Mandamento*: Tenho traído meu matrimônio com adultérios e outras infidelidades? Tenho sido sincero no diálogo familiar e na partilha dos bens? Sei escutar as alegrias e as dificuldades de minha família?

10º *Mandamento*: Sou grato a Deus por minha vida e por tudo o que tenho? Vivo reclamando e invejando os outros? Deixo-me levar pela ganância de ter e consumir sempre mais, sem me importar com os outros?

Procure lembrar-se de fatos passados que marcaram negativamente sua vida. Peça perdão e perdoe a quem feriu você.

4. Reze com humildade o Salmo 50, pedindo perdão com toda a confiança:

1. Tende piedade de mim, ó meu Deus, misericórdia! Na imensidão de vosso amor, purificai-me! Lavai-me todo inteiro do pecado e apagai completamente a minha culpa!

2. Eu reconheço toda a minha iniquidade, o meu pecado está sempre à minha frente. Foi contra vós, só contra vós que eu pequei e pratiquei o que é mau aos vossos olhos.

3. Criai em mim um coração que seja puro, dai-me de novo um espírito decidido. Ó Senhor, não me afasteis de vossa face, nem retireis de mim o vosso Santo Espírito!

4. Dai-me de novo a alegria de ser salvo e confirmai-me com espírito generoso. Abri meus lábios, ó Senhor, para cantar e minha boca anunciará vosso louvor!

Glória ao Pai e ao Filho e ao Espírito Santo! Como era no princípio, agora e sempre. Amém!

5. Reze com piedade seu ATO DE CONTRIÇÃO:

Senhor meu Deus e meu Pai, eu me arrependo sinceramente de todo o mal que pratiquei e de não ter praticado o bem que deveria ter feito.

Reconheço que ofendi a vós, que sois digno de ser amado sobre todas as coisas.

Reconheço também que prejudiquei meu próximo e minha Comunidade.

Prometo firmemente, ajudado pela força de vosso Espírito, fazer penitência, reparar o mal que pratiquei e não mais pecar.

Por vossa misericórdia e pelos méritos da paixão e morte de nosso Redentor, Jesus Cristo, tende piedade de mim e perdoai-me!

6. Ao participar da confissão pessoal:

• Apresente-se diante do sacerdote com a fé de quem se apresenta diante do próprio Jesus, de quem o sacerdote é ministro.
• Apresente-se, dizendo: "Padre, dai-me a vossa bênção, porque pequei".
• Diga há quanto tempo foi sua última confissão. Pode informar seu estado civil ou sua profissão.
• Quando seu pecado envolve outras pessoas, seja discreto e procure limitar-se à sua responsabilidade pessoal.
• Ouça os conselhos do sacerdote, dialogue, se for preciso, para pedir algum esclarecimento.
• Incline sua cabeça para que o sacerdote imponha as mãos sobre você e reze a oração da absolvição.
• Preste atenção no ato de penitência ou de reparação que o sacerdote lhe pedir.

7. Agradecimento: ao terminar a confissão, faça um momento de oração pessoal, agradecendo o perdão recebido e conclua com estas orações:

PAI-NOSSO... AVE-MARIA... GLÓRIA AO PAI....

Índice

12 Passos para uma boa confissão 3
Dicas para celebrar sua confissão 5
1º Passo: A penitência, saudade do batismo 7
2º Passo: Penitência, uma conversão
à misericórdia 10
3º Passo: Perdoar, porque fomos perdoados 13
4º Passo: Penitência, caminho de reconciliação 16
5º Passo: Penitência é arrependimento 18
6º Passo: Penitência: "livrai-nos do mal" 21
7º Passo: Penitência, uma celebração eclesial 24
8º Passo: Confessar-se olhando para frente 27
9º Passo: A confissão, momento de humildade 30
10º Passo: A contrição, a dor por falhar no amor ... 33
11º Passo: A satisfação,
um compromisso de amor 35
12º Passo: O gesto sacramental do perdão 38
Roteiro para celebrar a confissão 41